Con el auspicio de:

Fotografía de cubierta: Heinz Plenge

LAPULPA Editorial, Lima - Perú
2007

ISBN 978-9972-33-407-8
Depósito legal 2007-03356

Impreso en QUEBECOR PERU S.A.
Printed in Perú

José Dellepiane

Enjambre sutil

SEGUNDA EDICIÓN

Para Esteban con mucho aprecio y gratitud José 8/02/00

•I•LAPULPA•I•
Editorial

Más

El hombre sabía bastante. Los estudios realizados por él habían abarcado todas las ciencias, y sus lecturas enfrentado los libros más importantes. Sus descripciones y proyecciones dimensionales, rigen formando parte de la vanguardia filosófica. Las palabras emanadas de su boca pegaban imposibles de refutar en los cerebros inteligentes, llegando a crear culto entre los entendidos. En el entorno cotidiano sorprendía con sus predicciones políticas, cotejadas en el tiempo para plasmarse luego en la historia; la interacción social, influenciada por sus grandes conocimientos en psicología, le era fácil; su inmensa disposición a enseñar y aconsejar (talvez imperceptiblemente fingida) lo acercaba a prójimos de diferentes niveles, por lo que imponía llaneza en su lenguaje. Todos se deleitaban escuchando al que sin duda era, el hombre más sabio del mundo. Tan particular honor no lo hacía feliz, por el contrario, lo entristecía, pues se encontraba rodeado de ignorancia, inmerso en un mundo carente de reciprocidad, por ello injusto, que nada significativo le podía aportar, ningún nuevo conocimiento, invento, o teoría interesante, lo excluía o nacía lejos de él, simplemente lo entendía todo. Entonces decidió irse, escapar de donde ya no se aprende, alejándose para siempre en búsqueda de una absoluta soledad. Su conjeturar le aseguraba que estando solo lograría utilizar una sabiduría sin impurezas, sin contagios de pensamientos retrógrados o incultivados; requería de un lugar en donde estar con los sentidos trabajando, sin la necesidad de aislarse mediante concentraciones o viajes de la mente, capaces tan sólo de otorgar una abstracción momentánea (la prolongación de estos esfuerzos podría ocasionar que regresando al mundo material se conozca poco a sí mismo, pues se sabía alma y también carne). Preparó lo necesario para un alejamiento y partió. Ciudades, luego pueblos, y cada vez menos gente, eran indicadores de rumbo, avisos claros de que discurría por el camino acertado. Los últimos gestos que vio reforzaron su decisión, y le confirmaron la condición de sumo: Los alborotos propios de los seres desordenados, sin método; la agresión, característica de congéneres que no luchan por mantener su especie; el apasionamiento religioso de quienes no quieren entender. Todos quedaban atrás (sintió que este tramo inicial de su camino era una despedida, sin darle cabida al sentimentalismo apretó el paso). Dedicó su atención a él mismo: sus latidos, el sudor en su piel, eran evaluados y luego comparados con los correspondientes a su edad y peso; su andar regulado según el terreno, otorgando diferentes presiones y posiciones a sus pisadas. Reponía líquidos de manera natural bebiendo agua cuando se lo demandaba el cuerpo; gozaba de salud plena y se sentía preparado para cualquier reto. Era entendible, reconocer el doble carácter de la composición de su ser lo había prevenido, por lo que llevó una vida sana, asegurándose el bienestar que lo eximiera de brindar sobreatenciones a su cuerpo, cuidados que consumen el efímero tiempo de vida humana y restan ocupación al engrandecimiento de la sabiduría. Aprovechó su saludable estado para avanzar en su propósito y ya se sentía lejos, hacía bastante desde la última voz, y los caminos que entonces recorría eran nuevos, hechos por él. Estaba solo, así que se detuvo para utilizar su soledad; no pudo. Lo que observaba a su alrededor lograba fijar en su mente, los libros, las horas de estudio, y al final la imagen de aquella gente ignorante de la que estaba huyendo; las plantas, las especies del reino animal, eran de su total conocimiento: sabía como se reproducían, de que se alimentaban, y en algunos casos incluso, a que le temían. Imperioso se ordenó intentar un alejamiento mayor, si antes había sido un ejemplo, ahora sería un dogma, o lo que es peor, un domador, y entonces la injusticia se convertiría en más. Retomó el andar. Avanzaba en su propósito con alegría, con la tranquilidad de quien sabe que obtendrá el éxito. Luego de un largo trecho árido logró borrar totalmente la molesta sensación de compañía, y en aquel momento su soledad fue pura, infinita; deseaba asegurarse y continuó. Una oleada de paz ahogaba sus más mínimas preocupaciones, mientras vivía el momento de los seres que no se pueden perder. Se encontró entonces consigo mismo, parado al pie de una gran montaña, tan alta que su cima (sólo figurable) se perdía entre las nubes. Decidió escalarla, ahora sí estaría completamente solo. Subir, le tomaría días, semanas. Al concluir encontró una pequeña cueva, se introdujo en ella, e inmediatamente cortó la soga con la que se había ayudado durante el ascenso, para evitar que alguien viniese detrás de él, pero sobre todo, para quedar confinado, y cualquier idea de retorno sólo pudiera convertirse en un fútil intento. Se entretuvo algunos instantes viendo caer la cuerda, hasta que desapareció de su vista sin haberse detenido. Había culminado: el cuerpo erguido, majestuoso dueño de un cerebro extraordinario, y de un corazón colmado de orgullo. Efímera satisfacción; el hombre se percató de la falacia: la cueva no estaba vacía. Sobre la pared opuesta a la entrada se hallaba posada una mariposa, pero no una normal, común, sino una gigante; de tres metros de altura y enormes alas de colores, con la simetría de un ángel y quieta para volar. Era imposible, debía ser el producto de su imaginación influenciada por el cansancio lógico después de tan grande esfuerzo. Se obligó a descansar, a dormir para recuperar sus facultades, pero el miedo al enorme bicho le impidió conciliar el sueño; sentir el ruido de su circulación, semejante al de un grueso chorro de agua que se arrastra por una pendiente, lo hizo dudar de su cordura. Estaba alterado. Se puso de pie, apretó su cabeza con ambas manos, respiró hondamente y pensó que no estaba pasando; eso que no conocía, aquello que no le había sido revelado en su arduo aprendizaje no podía ser otra cosa que un espejismo. Se armó de valor, empuñó fuertemente el cuchillo filudo con el que había cortado la soga, alzándolo sobre sí; apuntando, embistió contra la mariposa y le clavó el arma en medio de su grueso cuerpo; la inasible figura debió desaparecer pero no fue así, sonó un desgarro. El hombre retrocedió, una gran gota de sangre que no se disgregaba brotó de la criatura que empezó a temblar, junto con la pared que se separaba de la cueva dejando entrar un haz de luz que lo cegó por instantes... Y cuando pudo recobrar la visión se dio cuenta, de que la enorme mariposa era el tatuaje en un brazo, que se alejaba de él.

Eco

El sol brillaba igual que siempre, el sonido de las olas animado en el viento se filtraba por entre la frondosa vegetación de la isla, convirtiéndose en llamado para cientos de aves hermosas que volaban hacia las orillas de ese precioso pedazo de tierra.

Un clima de temperatura agradable era el visitante recurrente para los isleños, y su presencia afable sólo cesaba con el arribo del día frío. Un momento a mediados de mayo durante el cual, el cuerpo debía ser resguardado sobremanera, acercándolo a las siluetas de fuego que forman las fogatas o rodeándolo de tejidos menos ligeros. Aquella jornada señalaba el cambio anual, y se aguardaba con el entusiasmo que se otorga a un día festivo. Representaciones artísticas eran ensayadas con antelación, para ser entregadas en una velada que el bautizo pueril había nombrado: la noche de los fuegos; otros llamaban a estas horas del último día del año: el invierno.

Los festejos se iniciaban al desvanecerse la tenue luz de un manso sol encerrado detrás de cúmulos inexpugnables, sello de aquella jornada, al igual que la ausencia de los infinitos naranjas y violetas en el

cielo. Los niños abrían; en el escenario marchas, gestos actorales, coros y pasitos de baile. Luego los jóvenes presentaban la danza, el circo, la poesía y el teatro rebeldes; voces y movimientos de vanguardia. Los adultos acaparaban la atención con su excelencia; la sabiduría se mostraba en forma del drama, la música clásica, armonía lograda con el paso del tiempo. Al concluir los actos, aparecían los Longevos, aquellos que ya marcharon y fueron rebeldes, los que sentencian la excelencia, quienes en los espacios máximos que pueden encerrar sus manos capturan la más inexplicable magia: la que cura y tranquiliza; ascetas encargados de empezar la liturgia, el momento de lo sagrado. Las escrituras, próximas a los cuatrocientoscincuenta días fríos de antigüedad, hablaban de un profeta forastero, posado en la isla por robustos altanos que viajaban hacia el sitio del alba. Aquél primero ajeno y después sorbido como propio, predicaba sobre una moral natural: "...nuestra presencia en el todo no nos sentencia como dioses; soberbios ignoramos los límites de nuestra propia naturaleza." "Serpientes que envenenan para comer, inoculan su ponzoña en quienes pretenden poblar sus predios." "La hoja que brinda sombra, puede herir si es mal usada, la que extirpa la locura, volver arcilla nuestra sangre."
Una exégesis postuló, que este apóstol podría haber

sido un sabio exiliado de algún reino destruido, el nexo entre lo fundado recién, y una creencia extinta, de milagros explicados, sin arcanos en pie. Fragmentos de sus enseñanzas otorgan indicios de aquel lugar aterrador, de geografía irremontable y codicioso de suelo: "...aguas fétidas bajo eterna noche..." "...lomos, de bestias hundidas en excrementos..." "...padres contra hijos luchando por un pedazo de mundo."
El profeta arribó en edad avanzada y se mantuvo en la isla de manera feliz, mas llevaba consigo un mal que su cuerpo acataba. Se inició entonces el Sacrificio, (este capítulo de la creencia está relatado con tristeza, y es en donde se enfatiza que era tan sólo hombre) el momento de alejarse con su enfermedad sin intentar cura o paliativo del dolor, por la premura de no sembrar lo que podría ser una epidemia inexorable en la isla, convirtiéndose en la causa de una trágica extinción. Su partida fue súbita, sin aviso, y luego se le veneró.
La jornada fría finalizaba reconociéndolo, recitando el dogma impartido por él: "No existe ya nada fuera de la isla, nadie puede dejarla antes de perecer". Luego todos alzaban sus ojos hacia las nubes, diluidas por el deseo de miradas que escudriñaban en el cielo tratando de avistar el rayo de luz proveniente desde un astro pensado ya marchito, un haz cuya punta más joven nació huérfana y viaja portando el grito macizo de su parto, heraldo de la muda y tem-

blorosa oscuridad pendiente de crepúsculo y miradas. Enseguida el descanso primero, del nuevo año.
Los días transcurrían como si se hubiese fundado el edén; el firmamento, una imposición de los sueños del hombre, los árboles gigantes, incondicionales protectores. Los Longevos veían con regocijo la armonía, la belleza intacta del paraíso, mientras educaban a los próximos herederos de la jerarquía mayor. Resaltaba entre los aprendices uno de cabellos bermejos y abastado en infusas, que gustaba de las lecciones acerca de la mente y lideraba el análisis del comportamiento. Era de su dominio, observar en el prójimo para obtener información certera y poder notar el interior; un paso de baile, significaba para él una danza entera, formada por muchos movimientos encadenados que se encargaba de reconocer y enumerar. El rigor con el que realizaba este método de fraccionar la conducta, le posibilitaba descubrir el desgano, la farsa, el orgullo, la sordera...
El doncel estaba más cerca de ser adulto, los cambios del desarrollo físico alentaban los del carácter, y abandonaba la forma jovial de expresar sus ideas acentuando lo directo de sus interrogantes. Paulatinamente algunas magistrales fueron terminando en discusiones violentas, hasta que una, teologal, fue la última para el joven isleño: Los adultos apostados a distancia escuchando otro diálogo exacerbado; en la

conversación misma, maestros exaltados y alumnos temerosos; el joven isleño de pie enfrentado a los Longevos. La polémica era sobre el dogma. El discente exigía una razón valedera para acatar la limitación, la orden impartida por un extranjero, que le impedía explorar más allá de la isla; los maestros esgrimieron con frases, inmediatamente refutadas por el discípulo, apelaron a los relatos del profeta, mas el joven con la lógica de sus réplicas afianzaba las dudas en su pensamiento; atrapados por inquisitorias sin responder, para los Longevos llegó el momento de dar por terminada la vana discusión, sin importar la desazón del confundido interpelador, y mediante el débil argumento: el dogma se encuentra a resguardo de cualquier interrogante. Una religión que pretende la ausencia de alguna inquietud razonable, no era permitida por el Dios del cual él, era su semejante. Sin lo que buscaba, decidió desatender aquella verdad absoluta, de la que dudaba y lo hacía pensar: debe existir otro lugar.
Nadie intentó detenerlo, ninguno (en capacidad de hacerlo) pudo privarse de sentir de alguna forma aunque sea vaga el pecado que nunca habría de cometer, y que recibido así se creía irreprochable. Cortó entonces el precepto que lo ataba, y en una pequeña balsa hecha por él (similar a las que algunos utilizaban para enviar a sus muertos en viajes

por el mar) muy de mañana abandonó el terruño. Enfrente de su retroceso, manos ondeando, rostros atónitos, hombres y mujeres asustados; algunos Longevos intentaban con ademanes reflexivos vestir sus sollozos de preocupación, cuando sólo eran engendros de una profunda impotencia que los hacía rogar al mar para que devuelva muerto al mal ejemplo. Sin embargo, por los que comprendían lo necesario de su acción, por aquellos maestros que nunca acallaron sus dudas, él también lloró.

En los primeros instantes de la travesía observaba su isla que parecía flotar sobre el agua, llevada por una corriente que la volvía más pequeña y lejana. Cuando la tierra fue diluida por el firmamento, se dedicó a revisar el vasto océano que lo mecía como la mano afinada mueve una hamaca; un majal de zorrales plateados remontaban curiosos hacia él, hipnotizado por un mosaico de espejos destellantes emergiendo desde el fondo de aquella laguna salada que lo había convertido en su centro y a la que no podía señalarle límites. Así, en medio del infinito transcurrían sus momentos: las noches pasaban con estrellas, sobre troncos de madera y hombre flotando sin rumbo; en la parte clara del día, una figura geométrica marrón con relieves cambiando de lugar. De golpe, cortando su atención en una amenaza de lluvia que no se cumplía, la balsa perdió el movimien-

to cogida por una nata oscura; al lado, un muelle rígido como de arena petrificada. Asombrado, enteramente satisfecho, esa rara construcción le anunciaba el acierto: ello era que, había algo hecho por otros; mas ¿estarían los otros?
Descalzo, se posó sobre una nueva textura, rara por su congruencia comprobada paso a paso, sus palmas asegundaron a sus pies y supieron lo mismo, luego recostó el cuerpo sobre aquella rectitud y durmió (durante aquel sosiego, un sueño ondulante en su momento más vívido lo hizo verse a tientas, rogando por entender algún camino, un escape).
Despertó de mañana, y al adentrarse ya se desplazaba por lo que parecía ser un mundo de grandes montañas de espejos repitiendo un gris de casi imperceptibles discrepancias; discurriendo por aquel derrotero ineludible encontró la caterva, la que había alzado aquellos portentos. Se desplazaban a su lado con indiferencia, contrariamente a él que los observaba atendiendo: lucían raras vestimentas, combinaciones extravagantes, los reconoció como sus congéneres, no había duda, sin embargo, a través de la visura profunda de aquellas extrañas apariencias, en los movimientos de estos nuevos seres, notó una incongruencia (debió pensar en: contradicción), que la rapidez del caminar que llevaban no lo dejó concluir con precisión: algún tipo de invalidez, oculta, pero

existente. Lo cierto era, (no hubiese necesitado más que eso para darse cuenta) que sus prístinas capacidades no le servían en aquella atmósfera avanzada. Los días fríos se repetían, el firmamento estaba oscuro, evocó con ansias una vieja lectura mitológica que describía un reino de cuatro estaciones. Por sobre su cabeza jamás encontró vida, y lo más parecido al color del sol fue el sepia en las grietas de un cerámico impregnado con el olor de la urea. Sin embargo, la lista de descubrimientos significativos estaba encabezada por la ausencia total del caos que le había sugerido su religión: ¡Vio esculturas y danzantes!
Luego de algún tiempo, aprendió sus primeras palabras y sus llantos de melancolía desaparecieron. Permanecía atento del entorno que lo gobernaba, íngrimo, evitando en lo posible formar parte de aquella sociedad; sin alardes de presencia, manteniéndose espectral, no dejó de pensar en su verdadero propósito: había salido de la isla para intentar una comprobación; le correspondía, explicar su hallazgo.
Mientras imaginaba la sorpresa de todos ante su retorno, ideaba el relato de lo que había visto, mas se percató de lo difícil que sería hacerlo con palabras. Pensó en el dibujo del mundo en el que se encontraba, del que diría había descubierto; pero ¿cómo graficar esa realidad tan distinta sin una técnica depurada?

Dejar de plasmar tantos fascinantes detalles podría provocar dudas, hacer pensar que se trataba de una pesadilla, un mareo de altamar, y que en realidad al único mundo que había arribado, era al de su locura. Encontró como solución —sin descartar lo anterior— trasponer hacia la isla objetos que fueran inconcebibles (ya atesoraba un diminuto contador de tiempo y un cubo que brillaba en la oscuridad) para con ellos evitar cualquier crítica apresurada. La colección podría ser amplia, mas no que obligara, un difícil traslado, ni mucho menos que provocase, un insignificante nivel de asombro; ¿quién no quisiera tan sólo observarlas, quién no poseerlas; de qué incalculable valor serían sus riquezas?
Una noche, insomne, absorto en recolectar rarezas, se encontró con el color del follaje, (pareció una revelación, pues hasta los árboles artificiales que adornaban las aceras lucían tonos cenicientos) impreso en un viejo cromo que guardó consigo (un pedazo de papel corroído que tenía escrito en el idioma de aquel reino: el verde) luego de tomarlo de un hombre postrado sobre el suelo, un anciano exánime que extendía la mano sin recibir nada, al que cogió suavemente y acomodó de manera más descansada; se sintió tentado a quedarse a su lado e intentar un breve reposo, pero temió ser testigo de su último aliento. Continuó trabajando, toda cifra del aparato del tiem-

po se había repetido al menos dos veces, pero sólo se detenía para revisar, para depurar lo recaudado y mantener lo que fuese digno de su tesoro. Durante una de estas selecciones se percató de una cubeta, sellada, metálica, que le permitía ver su reflejo: sus pelos rojos, su rostro, sin detalles sólo los grandes rasgos; con esfuerzo y maltratándola logró retirarle la tapa. Contenía algo de pintura negra, con la que empapó uno de sus dedos para, sobre el suelo, empezar a dibujar. Lo que intentaba era practicar, ensayar el cuadro de lo que veía; el lugar oscuro que había elegido para resguardarse de cualquier mirada, sólo le permitió verse a sí mismo entre objetos en desuso, y reconoció que aquel instante le sería siempre un mal recuerdo. Encalló en pensamientos de horror, algo diabólico en el ambiente se apoderó de él, su miembro con pintura se deslizó haciendo aparecer el símbolo de un demonio legendario, aquel que gobierna el tiempo de las muertes inicuas. Conmovido, asustado, prefirió al otro, al que depuso la ínsula. Urgido, bastaba con lo que ya poseía; el montón que permitió persuadiría a los isleños de que efectivamente había estado en otro mundo, y brindaría crédito a sus relatos sobre los habitantes que lo poblaban, aquellos que entonces deseó supiesen, que él los había visitado. A pocas horas de su partida quería dejar de ser un fantasma, necesitaba

por un momento ser una realidad; escogió una pared, amplia, inmaculada, agazapada entre otras, y sobre ella, ya con la nítida visión de su isla a la que sentía próxima escribió:
—verde donde—
Luego (como guiado por aquel supremo ser encargado de segar las vidas injustamente) mojó toda su mano con pintura y agresivo firmó el escrito con la huella de su palma; una malagana por los olores del óleo lo recostó a la pared, obligándolo a dejar caer el veneno, salpicándose; sin reincorporarse del todo se fue del lugar dejando indicios regados que ayudarían a dar con él. Antes de llegar a su espacio (cualquiera, el que le hubiese venido bien) fue apresado; convertido en un reo ignorante por su incapacidad para descifrar las voces de la gente que lo rodeaba, supuso que estaba allí por haber ensuciado aquel pedazo de muro y aguardaba un castigo de acuerdo a la falta, pues muchas de las calles uniformes habían recibido mayores ataques, manchas de todo porte. Esta pequeña demora en su retorno (ya sin tesoro) la deseaba tomar como una pasajera contracorriente, mas los días transcurrían y permanecía encerrado.
Fue presentado en un gran salón delante de gente que lo señalaba, de rostros enfurecidos y malévolo mirar. El joven isleño agudizó sus sentidos, y alentaba su atención hacia las personas que parecían querer

atacarlo; percibió envidia. Pero ¿por qué o hacia qué? ¿En qué lugar de su aspecto, en qué nivel de su ignorancia podría encontrarse algo digno de ser anhelado con tal ímpetu? Sus conocimientos limitados parecían volver a confundirlo, debía esforzarse, pensar de manera profunda. Nadie se encontraba de su lado, otra vez solo, mas sin posibilidad de hacer valer su verdad, ni siquiera pedir unas disculpas; intentó sumisión y nada cambió, el llanto no disminuía la ira que lo rodeaba; trató gritos, provocando terror por su aspecto alterado y lo extraño de su lenguaje.

Fue llevado por última vez hacia aquel salón para ser visto, no hubo voces, luego, puesto en un recinto pequeño que lo colocaba con la espalda doblada, esperó sus alimentos que nunca llegaron, poco a poco fue perdiendo la vida.

Instantes de agonía. Su cerebro aún trabajando evocaba el momento en que se percató de los nuevos congéneres, a quienes juzgó dueños de una limitación escondida... (su respiración se hacía menos y el dolor se apoderaba de la totalidad de su ser). Concluyó que aquella no revelada invalidez era la razón de los odios que lo estaban sepultando, y que llevaba consigo una posesión mayor la cual se le hubiese querido arrancar. Comprendió que al extinguirse la uva, se desvanecen en el paladar los espacios que reconocen su néctar, las células blanco de su rico sabor... vertiginosamente cerró sus ojos, y murió... dejó de existir en el mundo gris el último de los hombres, que podía ver a colores.

Nasca

El entierro fue breve. El vacío dejado por el trabajo de las palas, figuró en mi pensamiento las excavaciones que tanto le revelaron a Clide, e imaginé que ahora en algún lugar de lo etéreo está entendiendo a cabalidad cada uno de sus hallazgos. Algunos miembros del Colegio de Arqueólogos y los Directores del Partido Ecologista despidieron el cuerpo de la estudiosa del pasado. La doctora Valladolid, como la llamaban sus alumnos de la Universidad Mayor de San Marcos, vivía sola en un pequeño departamento que rentaba desde que vendió su antigua casa en Cantogrande, y era, no por elección sino por fatalidad, una mujer sin parientes. Fue sin duda por ello, que luego de algunos días se presentó en las oficinas del partido —el cual yo presidía— la dueña del inmueble del que Clide fue inquilina, para pedirnos que tuviésemos a bien retirar las pertenencias que ahí se habían dejado. Acepté sin vacilaciones ni peros, y fijamos una hora para la tarde de ese mismo día. Con la mente en la tarea que emprendería, imaginé muebles, enseres, ropas, tal vez fotografías, y ya en el trayecto me entusiasmé con la posibilidad de hallar un diario de mi buena amiga. Llegué puntual, encontré a la dueña esperándome, y no sé por qué ulterior consideración aún no había ingresado... —desde lo acontecido no he vuelto a entrar— me dijo —¡Yo tampoco!— pensé, recordando que Clide me invitó en escasas oportunidades a su departamento para compartir instantes como los que en diferentes lugares habíamos pasado juntos, pues la Directora de Patrimonio Histórico y Restos Arqueológicos del Partido Ecologista del Perú pensaba, que al convocarme se vería en el compromiso de hacer lo mismo con los demás directores, y entonces su acogedor hogar se hubiera visto lleno en el sentido más estricto. El día de verano no requería de luz artificial para un rápido inventario de los bienes, y al concluirlo estaba seguro de que sólo con mi auto, sin rentar un vehículo adecuado para los menesteres de una mudanza, necesitaría de uno o dos días cuando mucho, para desocupar el departamento. Decidí llevar conmigo algún objeto significativo para no desperdiciar el movimiento: un sofá, una cómoda, o algo por el estilo. Mi elección recayó en la mesa de centro que estaba en la salita: un baúl, que Clide con su buen gusto había transformado, colocando un vidrio sobre él. Al moverlo lo sentí medianamente pesado; confeccionado de cuero para suela, repujado con motivos de naturaleza andina propios de la sierra peruana. Su tamaño en medio de la sala no era lo significativo que una vez en mi auto, obligándome a reclinar los asientos posteriores, a pesar de lo cual, parte de su rectangular volumen viajó fuera de la maletera; desestimé mudar en ese viaje el cristal que lo había acompañado. Una vez en casa, coloqué el gran poliedro artesanal junto a mis muebles, que combinaban con él, de manera inmejorable. Faltaba el vidrio, pero me gustó ver al baúl recobrar su forma imponente en medio de mi sala. Al día siguiente continué con el traslado hasta culminarlo.

Todos los baúles —pensaba yo— se podían abrir; lo mismo imaginaban mis invitados que comentaron la imposibilidad de destapar el mío. Sin acostumbrarme a esa cualidad extraña, imaginé que hubo de ser voluntad del artesano mantener el interior ignoto, sellando los bordes de la tapa con algún fijador poderoso, muchos harían esto, para evitar la comparación entre un fondo áspero, sin trabajar, y lo prolijo de los detalles labrados en el exterior. Intentando confirmar esta idea, visité un centro artesanal y luego otro, en donde se comercializaban baúles similares; todos, sin excepción, se abrían. —¿Dónde pues señor se fabricarán baúles que no se destapan?— me contestó una vendedora. La comprobación inequívoca de que mi suposición había sido errada, me llevó a otra más apremiante: Clide clausuró el baúl. El trabajo no podía esperar: tenía que abrirlo.

Vencí el grueso cuero, hasta separar la cubierta casi en su totalidad, y aquello que opuso tenaz resistencia lo doblé de modo que pudiese ver el interior, y de que mis manos obtuvieran alguna posibilidad de indagación. Aquella culminación (sólo preliminar) me liberó del absorto y recordé que aún no había cenado, mas el tiempo transcurrido me obligó a preparar, el desayuno. Luego dormí hasta el atardecer, emulando los hábitos de cuando me encuentro escribiendo alguno de mis libros.

Tras dejar sin respuesta muchas llamadas telefónicas, contesté una insistente, de incansables timbradas. Fue un despertar abrupto, mas libre de alguna necesidad de mayor descanso; me recordaban una reunión importante, imposible de evitar. Ya listo para salir, pasé al lado del baúl para comprobar el avance —que era cierto— y alzar apenas la tapa, lo que me permitió ver sin mucha nitidez algunas hojas de papel periódico. Asistí al compromiso, con el recuerdo vivo de la noche anterior, y necesité varias copas de champán para adormecer mis feroces deseos de abandonarlo cuando recién empezaba. Sin posibilidad de embriaguez el suplicio se tornó insoportable, hasta que una mirada azul engastada en piel tersa me llevó, a ver concluir la ceremonia de lanzamiento de mi candidatura al próximo Congreso de Diputados, y a pasar la noche fuera de casa. Esto, que primero pareció producto del gusto por la buena compañía, tiempo después lo entendí como la manifestación de un azar favorable, que me permitió la tranquilidad necesaria para comprender lo que el baúl de Clide había resguardado: Debajo de los periódicos, de los diarios con noticias del ayer (lógicos envoltorios de lo escondido), encontré cuerdas de lana, enredadas, anudadas sin aparente capricho (supuse que su valor era el de los objetos muy antiguos y por ello se hallaban ocultas). Retirando las últimas hebras, encontré un diccionario quechua[1]- español, y debajo, un cuaderno forrado con vinil protector; lo abrí

[1] Idioma de los andes del Perú, predominante y extendido a lo largo de todo el territorio de dominio del Imperio Incaico.

vertiginosamente. Al revisarlo, con tiempo sólo para el asombro por lo explícito de los apuntes, entendí que las tiras de fibra con amarres que primero fijé como aleatorios y entonces veía claramente intencionales, eran auténticos y extraordinarios: quipus[1]. De inmediato, llevado por una apreciación puramente legal, pensé que debía entregarlos al Instituto Nacional de Cultura para su estudio, mas, de manera muy pertinente, recordé un episodio que Clide me relató: la institución encargada de la cultura en el país, intentó apropiarse de un trabajo de investigación realizado por ella, sobre unos < fardos funerarios >[2]. Esto, hiló con mi apreciación sobre un INC guiado por torpes, como los que permitieron que la pirámide de Huallamarca con más de dos mil años de antigüedad y de una hermosura sin par, fuese rodeada a pocos metros por horrendos edificios, o por los que otorgaron permisos para que grúas de filmación, utilizadas en el rodaje de un aviso publicitario de bebidas, trabajen alrededor del Intihuatana (reloj solar, obra representativa del conocimiento incaico) y de manera irreparable lo

[1] Cuerda, desde la que cuelgan otras con algún número de nudos en su extensión. Considerados la forma de escritura en la cultura Inca.

[2] Envoltorios, hechos con telares o mantas, en cuyo interior contienen cadáveres momificados, en ciertos casos acompañados de las que fueron sus pertenencias en este mundo.

rompieran. Entonces estuve seguro: tenía que protegerlos.
Las páginas del cuaderno contenían las pautas para descifrar estas piezas de escritura incaica, y las fechas y lugares en las que habían sido halladas; también se consignaban nombres de personas a las que recurrir con el fin de solicitar información oportuna. Estiré cuidadosamente los quipus, y fui colocándolos uno a uno sobre hojas de papel blanco, mientras sentía claramente lo que cuando abro un libro por primera vez. Luego de estudiar sin mucha complicación los apuntes (Clide había traducido la totalidad de las cuerdas), pude saber que los muy oscuros son verbos, que aquellos empezados con tres nudos son plurales, que los adjetivos poseen hileras bastante separadas, contrariamente a los sustantivos de filas juntísimas; memoricé los artículos, y supe además que los de lanas claras eran palabras en femenino. Lo que no pudo explicar a cabalidad nuestra dedicada arqueóloga fue el texto; se podría pensar que esto se debió a su fallecimiento prematuro, lo cierto es, que para solventar los entrampamientos que se le habían presentado recurrió a otros con igual o mayor dominio de su disciplina, nunca, a voz alguna fuera de la arqueología. Es ahí donde empezó mi rol. El problema mayor con el que la doctora tropezó,

fue la colocación, la secuencia de los quipus; yo pude encontrarles continuidad, saber cuales formaban parte de una misma frase, para ello apliqué a los entendimientos precisos de Clide algunas consideraciones personales: La escasa escritura de la cultura incaica exhibida hasta entonces en los museos del Perú suponía, que el anudar las cuerdas nació por una necesidad de contabilidad en el imperio, o, por guardar en el tiempo fechas especiales, luego, la prístina escritura fue adoptada por personas con mucha vocación por escribir, plasmando temas de manera ilimitada (esto permitió la extensión de lo guardado por Clide). Difícilmente, un escritor serio, comienza con una tinta y acaba con otra, uno inca, no empezaría sus escritos con fibras de un color y continuaría con otras diferentes; utilizaría los cambios cromáticos para destacar algún concepto (no encontré en los quipus ningún signo de puntuación). Así pude correlacionar adecuadamente las palabras y entender lo que claramente era un mapa. El escrito de lanas azules, explicaba un camino con datos geográficos puntuales (descripciones físicas y nombres, tanto de pueblos como de ríos y montañas) acompañados de detalles que otorgaban belleza al viaje que debería de hacer aquel que quisiera seguir sus instrucciones; recuerdo dentro de los párrafos un quipu guinda que decía: adorar; dos amarillos

muy bien conservados, puestos después de señales de descanso y tributo, rezaban: Pachamama[1].
Apenas había releído el texto de lanas cuando ya prefiguraba mi viaje al valle del Urubamba en Cusco, desde donde el escrito señalaba se debía partir. No medió sino el tiempo necesario para dejar todo funcionando y entonces volaba hacia "el ombligo del mundo". Desde el avión, sobre una imponente cordillera, veía ríos de aguas limpias asemejar las venas de un hombre de barro, a punto de ser permitido por el dios que lo había irrigado de plata. Aterricé sobre mi delicioso mate de coca que me aclimató instantáneamente. El Director de Turismo del partido vivía ahí, en la capital arqueológica del Perú, mas se hallaba internado en la Reserva Ecológica del Manu, por lo que me dirigí al valle directamente; al campamento Los Girasoles, un tranquilo lugar a donde llegué conducido por la providencia: su dueño, un ambientalista local, conocía todos los puntos descritos en el mapa (escuché con suma atención sus palabras, pues no podía invitarlo a guiarme por lo secreto de mi motivo). Gracias a sus explicaciones supe que la recta de los Piesudos de la que el mapa hablaba en sus inicios, nació con un asentamiento de españoles presentes allí desde la segunda mitad del siglo dieciocho (no vistos más, des-

[1]Madre Tierra

pués de la independencia del país), por lo que el escrito no tenía posibilidad antes de aquellos años. A las curvas, las mesetas, los trechos entre ríos, no se les designaban distancias en el mapa, mas se describían tal como los observaba y no me sentí perdido sino hasta el final: Había respetado el momento, otorgado los pagos a la Tierra, sin embargo el camino culminó en un llano pequeño y vacío; mi fe en el escrito me acusaba: algo hice mal. Recostarme al lado de un árbol para pensar fue lo único posible, y así, como Newton en la caída de un fruto vio la fuerza que le dice al espacio que forma adoptar, yo fui notificado: el grueso tronco que me servía de respaldar, estaba coronado por brazos llenos de hojas que tornaban verde mi mirar, y allí llamativa siguiendo el movimiento de la copa, una fucsia más grande que las otras cientos. Imaginé, al dueño primigenio del mapa pensando en quien lo hallase, en alguien que no sólo comprendiera sus palabras, sino que además tuviese la fortuna de ser llamado por la señal dejada entre el follaje (lo que anheló fue un predestinado, un semejante). Bajé la mirada y con mis manos primero, con mi bota después, removí el suelo alrededor del árbol. A poco, a escasos diez o quince centímetros bajo tierra toqué con mi zapato de caminante —que alejé inmediatamente— una manta colorida. Lo demás fue muy delicado: poner ante mis ojos la magnitud de lo enterrado: Un tejido de un metro por dos bordado, en hileras una encima de otra, con figuras de quipus. Debajo de este manto muchos más; escarbando a su lado, otros. Los enrollé y cargué sobre mi espalda dirigiéndome directamente a la estación de tren en Ollantaytambo, desde donde abandoné el valle. Una vez en la ciudad me registré en el Grial de San Blas, un bello hostal en la calle Atoqsayk'uchi o, *donde se cansa el zorro,* lógicamente, muy reservada. Pedí en la recepción, que se obtuviera para mí un cupo en algún viaje por tierra de regreso hacia Lima (adquirí una alfombra tipo incaica, camuflé los telares, aún así, los controles en los aeropuertos significaban un riesgo de proporciones).

Durante el día entero de carreteras casi no cerré los ojos ni solté mi preciado paquete un solo instante. Los últimos kilómetros los pasé de pie al lado de la puerta del bus para ser el primero en descender, apurar el resto de mi equipaje y tomar un taxi hasta mi casa. Poseía un verdadero libro, cada telar bordado era una página de iguales dimensiones (lo que me sugería capacidad de repetición de los escritos de manera muy sencilla) de algodón, no de lanas (provenían de la costa, algo que confirmaría después). La pauta era la misma, mas esta vez muy gratamente hallé bordados: paréntesis: simples líneas del alto de los quipus que enmarcaban, en algunos párrafos disminuían su longitud a menos de la mitad para transformarse claramente en: comillas. Las telas (cuarentaiocho en total) capturaban quipus bordados exclusivamente en verde, mas no así únicamente con escritura precolombina, pues una, la última, había sido bordada con palabras en castellano (el texto que me guió hacia el increíble tesoro, mantuvo la ancestral técnica de colores sin adoptar la propuesta de los bordados, práctica pero menos vistosa (pensaba en los bolígrafos que no pudieron desaparecer del todo a la pluma, y en los escritores que desestimaron las computadoras, manteniedo sus musicales máquinas de escribir), esto tal vez debido, a que junto con sus respuestas tecnológicas y conocimientos sobre naturaleza, los incas y sus descendientes mostraron siempre una gran expresividad cromática, o simplemente, porque en los mantos escritos se dejaban notar, las impurezas de la conquista ibérica). Los telares traían nuevas palabras, por lo que me entrevisté con algunos de los estudiosos que Clide aconsejaba en sus apuntes. Los colegas de mi amiga mostraron gran aprecio por ella y con entusiasmo compartieron conmigo sus conocimientos. En reciprocidad, les he hecho llegar el contenido de este escrito histórico del antiguo Perú, de forma adelantada a la publicación para su conocimiento general. A ellos no

ha sido necesario alcanzarles algunos datos que permitan fluidez a la lectura del relato, los que enseguida consigno: Un vasto territorio en el sur del Perú dio nombre a la población Topará, siglos antes al nacimiento del Imperio Incaico. Dominaron la cerámica y los textiles hallados en cantidades importantes, y cuyos estudios de imagen y producción comprueban que conocieron latitudes fuera de su locación costera, pues se plasman en ellos figuras de fauna y flora, nativas de la sierra y la selva.
Ahora empiezo con el relato (traducción de lo escrito en los mantos de mi hallazgo).

La preocupación de Huasivicuri por el tiempo que su hijo mayor llevaba ausente, fue acompañada de otra debida a una bienal falta de lluvias. El príncipe Ñauri, con gran talento, había explotado los pozos que su padre abrió antes de que él naciera (lejanos al poblado, pues Huasivicuri tuvo que retirarse con su esposa y Chalaco —su primogénito— luego de que la sociedad no toleró —sino hasta mucho después— que el entonces futuro gobernante hubiese abrazado la monogamia). El amor y la confianza de la población hacia el viejo líder permanecían intactos, mas las alegrías mermaban (no se notaban dos lunas, sin que el deceso de algún anciano los sumiera en el duelo). Los que ya eran sufrimientos debían acabar y los dioses de la Tierra lo permitieron: Durante una tarde fresca que disminuyó en algo el bochorno, Ñauri explicaba a su padre que los intentos por nuevos pozos habían fracasado, y el príncipe primero retornó: Chalaco entró al pueblo y fue acompañado por la multitud ante el "Señor de Topará"; el padre, al que nunca se le había visto llorar, soltó un sollozo contenido durante un lustro.

El heredero trajo consigo, dibujos de los lugares por donde peregrinó, también semillas de frutos exquisitos y de plantas con capacidades curativas. El buen padre lo invitó a descansar sin informarle de la privación que padecían, algo que no le tomaría mucho tiempo en conocer. El príncipe viajero pidió a su progenitor cesar la preocupación por la sequía, pues él sabría solucionar el problema; en el lugar de donde había regresado las aguas del cielo nunca se ausentaban. Se le debía facilitar un grupo de hombres para realizar la tarea, y acondicionar un pequeño recinto donde pudiese caer en el trance de la Ayahuasca (pócima natural capaz de trasladar los espíritus hacia el futuro), que le permitiría conocer como halar las grises fuentes del cielo hacia sus tierras; ordenó que las mujeres sembraran las pepas traídas por él, así los almácigos estarían listos para cuando la gran lluvia aconteciese. El padre no hacía preguntas, sólo otorgaba lo que su primogénito requería, sin contemplar siquiera las dudas de su hijo segundo. Empezó la faena, Chalaco caminaba delante de una legión esperanzada; los mejores varones del pueblo estaban seguros de que el príncipe había heredado la sapiencia de su padre, y que serían guiados hacia profusas vertientes. Luego de una larga distancia, el príncipe ordenó detenerse sobre un alto desde donde se divisaban aridez y sequedad inigualables; señaló el trazo por donde deberían alzar las piedras que lucían incandescentes: como limpiando un camino. Mientras sus hombres descendían confundidos, cruzando las miradas mas sin objeciones, Chalaco levantaba con sus manos un pequeño recipiente lleno de algún brebaje exclusivamente por él conocido; se alejaba, y volvía para ordenar el final de la faena. Los primeros días fueron iguales, después el príncipe no se ausentaba durante el tiempo de trabajo, entonces se quedaba en lo alto, mirando el esfuerzo que ya se extendía por un área importante. Una tarde en que la orden de culminación se retrasó en demasía, los exhaustos trabajadores regresaron hacia él, y lo vieron postrado sobre el suelo, con los ojos enterrados y los brazos aleteando; el respeto sólo les permitió esperar a que el príncipe se reincorporase. Los rumores de fracaso, superaban a los de posibles buenos resultados que no excedían de unos delgados tallos creciendo, en donde se dejaron caer las semillas traídas desde lejano lugar. Ñauri acalorado increpó a su padre por el error, mas obtuvo como respuesta, la orden de repartir entre los niños y las plantas de su hermano, el agua designada para él mismo. Por esa decisión Huasivicuri falleció. Ñauri decretó duelo en el pueblo, al que Chalaco se opuso, y como nuevo gobernante se cumplió su volutad. Continuó con la tarea prometida a su antecesor, mientras que a sus espaldas se conspiraba contra él; todos estuvieron de acuerdo: Ñauri debía gobernar, su hermano, morir. Se decidió conjugar los momentos: cuando Chalaco llevase al pueblo para mostrar su obra concluida, el crimen se consumaría; los enfermos y quienes se encargaban de cuidarlos no irían al linchamiento. La noche precisa llegó, todos estaban listos, dos entierros matutinos avivaron la ira, sin embargo Chalaco no fue el único sonriente, el rostro de su hermano menor lucía felicidad. Con paso apremiante llegaron hasta un alto de duna; todos esperaban la orden de Ñauri para lanzar las piedras escondidas, contra el timador. La luna llena alumbraba el cielo, tan desierto como el arenal debajo de la vista de los Topará. Coronando la cima, Chalaco... todos detrás suyo... alzó por última vez su poción, y la bebió. Antes de que el príncipe conspirador pudiese dar la orden, el pueblo fue atrapado por la visión de una

nube que venía desde donde nace el sol: parecía el vientre arrancado del torso de una madre. Sin librarse del asombro regresaron sus miradas hacia el sentenciado, que pecho en tierra agitaba sus brazos como volando. El menor de los príncipes señaló alistar... Chalaco, se despegó del suelo flotando en el aire... todos de rodillas... Ñauri encolerizado cargó su honda con una piedra angulosa. Temor, llantos, y perdones... odio, gritos, y maldiciones. La nube se colocó al lado derecho de la luna y empezó a derramar gruesas gotas de lluvia, diamantes ansiosos contra la tierra... hacia la izquierda de la que rompía el luto del cielo, brillos de sílice, diminutas uñas eran lanzadas desde la arena, alcanzando el cuerpo del que levitaba en lo alto, convirtiéndolo en espejo reflejando siluetas de criaturas que eran refrescadas por un pedazo de cielo, que las conocía y había venido a buscarlas; arañas, monos, aves, seres de tamaño sobrenatural, encarrilaban las aguas tributantes de un verdadero río discurriendo hacia el pueblo que alzaba las manos reclamando por su salvador. Ñauri agitó su arma y lanzó el proyectil asesino... pegó contra su hermano, cuerpo flotante, rígido vitral partido en esquirlas que atravesaron el aire para clavarse en cada uno de los que estaban allí, despojándolos de la vida.
El telar final añade: Aquellos que se mantuvieron en

el pueblo esperaron en vano el retorno de los demás, por lo que luego de un tiempo viajaron hacia el norte, mezclándose con culturas que empezaban su desarrollo. Cientos de años después, los incas, que habían anexado estos territorios a su imperio, los revisaron a conciencia, encontrando gran cantidad de restos óseos regados sobre el arenal, conociendo así la existencia de un antiguo grupo, anterior a todos los que se sabía tuvieron presencia en el lugar; tanta muerte se tomaba como signo de mal porvenir, por lo que abandonaron el sitio sin percatarse de los gigantes enigmáticos: las imágenes dibujadas sobre el desierto, que sólo pueden ser vistas desde lo alto, deben permanecer ocultas a los ojos de quienes han llegado para acabar con nuestro orgullo. Realizo esta crónica, utilizando la sigilosa escritura de mis antepasados maternos que no conozco del todo, por lo que me he ayudado de lo que aprendí en la escuela para criollos, (soslayo los riesgos de vivir con mi padre español quien renegó de mi madre india, de quien dice nos abandonó cuando yo era una niña, mientras en la calle lo miran con el temor que se le tiene a un homicida) no poseo la certeza de ocultarla, o de entregarla a los caciques del Cusco que están luchando por la independencia, de lo que sí estoy convencida es de encomendarla a Cristo en quien creo, pidiéndole que permita su develación para cuando ya no sea un peligro que el mundo tenga conocimiento, de las líneas en Nasca.

El escrito está firmado por La Mestiza, mujer convertida en tabú durante la época colonial y de quien sólo se han encontrado crónicas en tinta; al unísono con la investigación que hago de sus obras, me encuentro revisando todas y cada una de las pertenencias que antes fueron, de la doctora Valladolid.

El Cuarto

El carcelero debía alejar del reino al indeseable y construirle un encierro tan inexpugnable como imposible de ubicar. El hereje no podía seguir llamando al pecado con sus obras, ni enseñando con su arte lo mucho que nos parecemos a Dios. Debe acallarse, borrar a quien aprovecha su destreza para poner a las personas en contra del régimen establecido de las cosas sembrando la inquietud por entender el mundo.
El veredicto fue claro: la sabiduría es de Dios, y de la pequeña cúpula de inquisidores encargada de velar por los destinos que desea el todopoderoso para su rebaño; la habilidad del artista fue otorgada por el propio Lucifer para atacar la justicia del señor. El culpable podía ser quemado o decapitado, mas había penetrado en la gente el ardor de su impetuosa mirada. Una muerte por mandato podría crear un mártir, algo

difícil de manejar. La decisión fue la más prudente: encerrarlo para siempre. El obediente verdugo encargado de aniquilar la libertad del condenado cumplió cabalmente su misión, regresó ante sus jefes esperando unas felicitaciones, o tal vez con un poco de ambición, una recompensa, mas al inclinarse en sumiso saludo, al postrarse a rendir pleitesía, fue ejecutado sin piedad, para que nadie jamás supiese en que infértil tierra había dejado al reo, infesta semilla del infierno que no debía germinar.

El joven pintor talentoso y rebelde luchaba por volver a tocar las aguas frías de un río violento, ver la mirada inteligente de algún otro animal, o simplemente oler una mañana. Las paredes que lo encerraban, llanas, pardas, no tenían entrada ni salida, y formaban un cuarto que había llenado con sus miedos, y el ruido de golpes al buscar traspasar su prisión. La genialidad en su cabeza perdía espacio, mientras la angustia y la depresión devoraban sin descanso sus ganas de vivir, transformándolo en enfermo, casi loco, malo. Su odio se concentró en lo que antes más amaba: —¿Qué valor existe en que mi pensamiento sea eterno?— se preguntó —¿De qué sirve que mis manos muevan los pinceles para trazar líneas inmejorables?— Entonces miró hacia una de las esquinas del cuarto que pensó se convertiría en su nicho, en donde estaban una paleta de acuarelas

y un pincel, sus únicos bienes. Los levantó, los miró, dejó caer la paleta, y al pincel lo llevó de forma brusca hacia su pecho, intentando perforarlo y llegar al corazón; lo único que logró fue un pequeño dolor y romper la herramienta.
Echó a perder aquello que le dio tantas alegrías, lo que le permitió conocer el amor, la admiración, su propio universo; las ganas de hacerse mal pegaron alrededor suyo y se vio lejos de ser artista. Empezó a llorar... Se arrodilló para juntar la paleta con el pincel roto, besándolos mientras les pedía perdón. Sus lágrimas golpearon la paleta... Se levantó apuntando sus ojos para que dejaran caer las gotas de agua sobre los colores que aún se encontraban secos. Revivieron las acuarelas y el joven pintor también; comenzó lentamente para no caer en confusión, y pintó. Las paredes del pequeño cuarto fueron sus lienzos, y con la perspectiva hizo crecer su mundo, al cual pudimos entrar cuando encontramos una pequeña construcción de piedra en la que decía, *romper aquí.*

Durante el redescubrimiento occidental de los frescos de Sialení se decidió remover el grueso y oscuro barniz puesto allí, desde el primer hallazgo de la obra más prolífica y prodigiosa que pintor alguno jamás halla acometido. Aquella grotesca mancha, derramada sobre la entrada del cubo pétreo recinto de las pinturas, permitía apenas traslucir lo que podría ser una inscripción o un dibujo. Las técnicas empleadas entonces obligaron un trabajo de semanas, luego del cual pudo aparecer: < iprej sahmati >.

Culminar la limpieza, fue preámbulo de una tarea ardua y compleja: obtener el significado de la extraña escritura. Paleólogos respaldados por exitosos trabajos de investigación fueron encargados al estudio, mas, a pesar de lo exhaustivo de su labor, sólo lograron aproximaciones: La palabra < sahmati >, es una composición lograda mediante la unión de dos vocablos: el primero, < sah >, puede significar: —aquí— como también —éste—; el segundo, < mati >, se traduce: —único, exclusivo—. Los eruditos concluyeron en que < sahmati > posee como significado: —aquí y sólo aquí— o, —éste y sólo éste—. En cuanto a < iprej >, la desconocida palabra no pudo ser explicada por los expertos, y se tiene como válida, la acepción proporcionada por ladinos locales, quienes obtuvieron esta información mediante la herencia hablada que relata la historia del habitáculo: la trisílaba (se pronuncia ip-re-je), antiguamente había sido empleada para referirse al contacto que hacían las piedras, utilizadas como armas, contra las murallas de las ciudades que se pretendía invadir. La finalidad de la frase, era el señalamiento de un lugar exclusivo

para un contacto que intenta romper, una precaución ante la seguridad que sería lo primero en hacerse al descubrir la solitaria construcción, con el propósito de conocer su interior. El aviso no resultó antojadizo; la elección de aquel lado para abrir una entrada se sustenta tanto en la disposición de los dibujos que se encuentran dentro (podríamos referir: dos que conforman uno, o figurativamente, un díptico inicio de una bifurcación), como por la consideración de la luz que desde el exterior penetra, pues en todo momento del día se puede señalar el abraxas sin necesidad de asomarse fuera de, El Cuarto, como nombran los artistas a esta galería de obras maestras.
Los Sialenitas, quienes no se oponen a una visión artística, tienen a la edificación como el templo por donde pasó un elegido capaz de profetizar con sus pinturas; el culto empieza, por reconocerla como obra perfecta de diseño del propio ingenio de Dios, quien utilizó la construcción humana como portal hacia un mundo mayor, y de límite entre el pecado y el entendimiento. El que todo lo puede, permitió el encierro terrenal del pintor para luego, a través de una inconcebible maravilla de caminos, otorgarle la libertad eterna, goce destinado a los ángeles, quienes siempre obran en bien y cuyos abalorios son de astros cristalinos que se recogen detrás de la nebulosa Allegra. Desde los albores de la fe el número de seguidores se

ha incrementado considerablemente, debido en mayor nivel a la institución de sacramentos, lo que ha permitido que la religión haya madurado hasta el momento en que se hereda de una generación a otra, abandonándose, aunque no del todo, la adhesión de fieles mediante el apostolado. Esta fuerza religiosa les ha permitido gobernar El Cuarto, así como imponer las reglas, vigiladas para su cumplimiento por andrólatras del artista.

El ingreso está vedado a los objetos que vayan más allá de un paño de gasa, alguna soguilla fina para trazar el regreso o hacer mediciones, y a los acompañantes, se debe entrar solitariamente. Una vez dentro, uno se halla en una nave de ocho metros de altura con techo raso sin pintar (conserva el color de la roca que lo conforma), y rodeado por cuatro paredes simétricas alzadas de manera estrictamente perpendicular que encierran un perímetro de treinta metros; en dos de ellas, se comprueba ausencia de dibujos: Una, en la que se talló el ingreso, y otra a su lado en donde se exhibe una placa consignando una reseña, un criptograma, y algunas maldiciones; en sus opuestas, se ubica el primer fresco, con un formato que abarca el ancho de ambas, y una altura de dos metros contados a partir del suelo (tierra de campo, seca, nivelada perfectamente). En la unión de los muros pintados se encuentra un canal imperceptible a simple vista: en el cuadro, que los versados en las plásticas califican de perteneciente al realismo, y titulado "La guarda de la senda", el paso que une la nave con un intrincado recorrido de caminos dibujados, figura como la ausencia de buganvillas lilas en el sector medio inferior de lo que es un cerco de follaje, flores, y espinas, que no permiten el otro lado; sus dimensiones (treintainueve centímetros de ancho, cincuentaiocho de alto, y una profundidad contenida por el grosor de las paredes: cuarenta centímetros) obligan a quien lo utiliza, a cometer un esfuerzo por atacarlo de lado y recostado en el suelo. El vacío entre los muros es el único nexo hacia el universo pictórico, sin embargo existen dos formas de pasar a través de él, y al elegir un modo u otro se logran sitios (la impresión al cruzar la pintura es que al estar fuera del recinto no se han notado las estructuras que pudiesen contener aquel nuevo espacio interior) distintos: si al reptar de lado se lleva el frente del cuerpo al costado izquierdo del pequeño pasadizo, se puede ver, "La curva": un fresco que delínea el angosto camino a seguir una vez incorporados; si se opta por lo inverso, los ojos acuden a la presentación de,"La oscura iluminada": la sensación es la de estar junto a un muro totalmente negro, alumbrado por una tenue luz (el momento del día es indiferente) conducida a través de un camino que invita. La primera ocasión en que se tomó nota de esta increíble duplicidad —por parte de occidente— fue cuando se intentaba integrar los estudios de las únicas misiones que luego de ser permitidas arribaron a su destino; la German School of Science, había recopilado información que ordenaba las diez primeras pinturas a partir de "La curva", mientras que lo expuesto por la Universitá Nazionale d'Italia, describía el inicio como: "el paso por un pasaje oscuro...". El enigma ha motivado los más enormes apasionamientos, naciones poderosas han pretendido el control sobre este hallago que paulatinamente se desviste de sigilo, pero los fanáticos religiosos han amenazado con detonar el pequeño cubo antes de verlo profanado.

Las visitas de estudio son infrecuentes, pues los trámites para acceder a la edificación se hacen engorrosos debido al recelo creciente sobre los extranjeros; la exigua cantidad de guías capaces de conducir un grupo hacia El Cuarto hace muy difícil un acopio importante de información, originando que algunos intenten ir por su cuenta. Michael Admorsty, Phd en Física Óptica, viajó desde alguna de las colonias británicas para gestionar un permiso, negado por burócratas de lo que hasta finales del siglo diecinueve fue una provincia del Emirato de Arshad, y gracias a un auge agrícola, la producción de ungüentos vegetales, y una cruenta batalla, se convirtió en el Estado Autónomo Sialení. El Doctor soslayó el impedimento, emprendiendo un esfuerzo inmenso para llegar al cubo sagrado, lo cual logró gracias a un golpe de suerte (en realidad de desventura), y al conocimiento por parte de sus acompañantes (casi todos rentados, entre los que se contaban algunos impíos) de las zonas desérticas y las técnicas de supervivencia. Una noche de neblina el profesor Admorsty, con el propósito de ingresar sin las formalidades de rigor, intentó obtener los favores de los custodios del recinto mediante un soborno que imitaba el salario de años para los guardianes; por la grave ofensa perpetrada fue expulsado, y despojado de absolutamente todo su costoso equipo que consistía en sofisticados aparatos de medición y grabación (el aviso de este acontecimiento debería prevenir a cualquiera de optar por similar despropósito). La mayor parte del tiempo el templo es visitado por los maestros de la creencia y sus seguidores, quienes llegan cada vez más, desde diferentes procedencias. Los de Agamaceb, en el día del sol lejano, emprenden una peregrinación que los lleva a cruzar el Sahara Occidental, acogiendo fieles durante la ruta que requiere de descansos, en Solub Etan, donde se abastecen de grano, y por la noche víspera de retomar el andar repechan la arcilla clara en el cauce de un río antiguo, cuyas aguas se desvanecieron evaporadas por los rayos de una luna incesante, que no se ocultó durante cien días[1]; y en Lajamud, donde en aquel mismo tiempo se ocultó un sol subalterno, y se espectraron los semblantes. El avatar continúa hasta llegar a Buon Dubil, desde donde siguen un andurrial que guía al aquilón, en medio de los que parecen algarrobos frondosos que ocultan el paso de los peregrinos, evitando así las miradas furtivas que puedan venir desde sobre alguna de las cimas bajas de la cordillera Atlas, o de aves que al seguirlos delaten su secreta ruta. Este trecho empieza de manera desconocida para quien lo recorre una o muy pocas veces, pues las estaciones acentuadas tornan severamente los paisajes; el camino los lleva de subida hasta el recinto sagrado, al que los más elevados ingresan con el fin de recorrerlo todo, en un principio, hasta el natural término de su traje corporal (cualquier intento de quitarse la vida dentro del templo ha concluido en la humillación del suicida) como hombres, luego, como espíritus. Un re-

[1] Nayyer Fayyed, escribió en su obra "El Origen": ...así la Luna inmensa, engendró un astro, celeste, pequeño, y húmedo, que el sol halaba hacia sí, para calmar su sed al devorarlo; la madre eclipsó al voraz, y despojándose de valles, montes y volcanes, prodigó alimentos a su criatura, tornándolo grande y disuasivo; como medida última, la Luna bebió de su hijo, el mar en donde flotaba su nombre, para que el cruel padre no pudiese llamarlo y siempre le fuese un extraño.

greso para un mayor perfeccionamiento no es infrecuente, asombra el retorno desde el templo con algún presagio digno de ser difundido: la vuelta oportuna de un sacerdote agamacebo, previno a su pueblo de un violento saqueo lanzado por el último Emir que pudo gobernarlos, ataque avisado con antelación por el religioso luego de reconocer la ciudad de sus antepasados en una de las pinturas.
Las sectas en torno al templo han empezado una sabia unificación que ha enriquecido la creencia; todos reconocen como supremo, al Pinto Qalar, quien no sólo goza del honor de pertenecer al grupo de los Perlados (primeros en el culto y —se afirma— nombrados así por el propio artista), sino que además es el único que ha conocido el ambiente de "Los últimos días". Según el jerarca, en aquel conjunto de frescos se observa una importante particularidad en como Dios ejecutará los eventos en el tiempo final de la humanidad; a manera distinta de las religiones que hablan de un enjambre de fatalidades u horrores con los que sus dioses irán cerniendo a los hombres, marcándolos, creando caos que confunden y no permiten una elección sino desde una sensación de temor, el Dios explicado a través del arte, dispensará un virus subrepticio génesis de una esterilidad seglar en el mundo, así podrá colocar enfrente de su paciente mirada a todas las almas que poblaron la tierra, en

un rápido e insignificante período del tiempo cósmico, para de ahí en adelante juzgarlas. El guía religioso aduce, que esta forma silenciosa de anunciarse la ha planeado Dios, no sólo para robustecer la meditación y la búsqueda de trascendencia durante los momentos previos al final del mundo como lo conocemos, sino también para, con el lógico decaimiento del amor que traerá su medida, distraer al mal, enemigo implacable y poderoso que ya gobierna parte del universo —a diferencia de lo que se cree— sin su consentimiento.

Otros visitantes son los artistas, a quienes nunca se les intimida cuando se les ve alrededor del templo por más lejana que sea su procedencia. Para permitirles ingresar no es importante lo extendido de su arte, ni se les persuade a mostrar sus técnicas, pues se tiene como verdad que diletantes serán eximios después de su paso por El Cuarto (basta mencionar lo sucedido con el joven Giovanni, luego, el maestro Tiépolo); los que denigren el arte sufrirán alguna de las maldiciones del templo, como por ejemplo, la intrascendencia, quienes detenten título artístico, el extravío de cualquiera de los sentidos.

Del pintor se sabe muy poco, y se infiere que esta exigua información, la escasez de datos puntuales, cumple deseos del artista quien debe haber alcanzado humildad excelsa. Sin embargo, estudios rigu-

rosos han revelado que la tradición otorga referencias interesantes: Fue llevado al desierto desde España, durante algún pasaje del siglo trece, siendo en el país ibérico un extranjero, que por amor a una mujer había emigrado de, Palermo de Sicilia. No existe en Valencia, donde se afirma tuvo su taller de arte, obra alguna de su autoría, pues un incendio caprichoso se encargó de quemarlas en su integridad. Esta exhaustiva recopilación, ha contemplado un relato que extenúa la mente: Liberado por alguno que abrió salida a su celda, deambuló por las noches bañado de licores y fustanes; inmerso en falsedad, juró su amor a una joven mujer, esposa de un hombre seguidor de la cruz; el artista, la hacía feliz a escondidas. Con esta desconocida engendró prole; sus herederos, infectados con odio y humillación, han sido saqueadores, acopiadores de excremento, falsos testigos; los que conocieron la existencia de su avieso ascendiente, proporcionaron ventajosos secretos a quienes habían maquinado acontecimientos infaustos. Es necesario consignar, que estos datos posteriores han sido entregados por la secta contraria, los Darknitas, quienes abocados al exclusivo esfuerzo de prodigar enemigos a la religión llaman al pintor, el ilusionista, y a sus fieles, ilusos.
Emerge una necesidad inmediata de acercamiento que Dios está dispuesto a subvenir. Los Sialenitas, ins-

tados a preparar una expansión rápida y sin temor, han sido informados mediante el regreso de un monje Perlado, sobre que el próximo diciembre, todos aquellos noticiados de la existencia de, El Cuarto, serán recogidos desde el puerto más cercano al que se encuentren (se deben verificar escrupulosamente los mapas) por embarcaciones de pesca, para ser conducidos de forma segura hacia la prodigiosa construcción[1].

[1]El informe italiano en su capítulo IX referido a las peregrinaciones, exhibe boletos de barco de principios del siglo veinte, que pretenden avalar los relatos sobre una exitosa cita alrededor del cubo, la cual habría permitido el nacimiento de una extedida red encargada de comunicar oportunamente alguna futura reunión en el templo. En coherencia con la absoluta objetividad del reporte, se reproduce de forma íntegra el artículo firmado por el columnista William Soronson –acompañante de la llamada "misión inglesa"– que refiere la travesía emprendida por el magnate del carbón Arthur Hiedfield, hacia un templo cúbico de impresionante factura, destino al que nunca arribó, pues no pudo ver la cubierta del barco que rescató, luego del naufragio que sufrieran, a los sobrevivientes del gran trasatlántico Titanic.

El quinto

El recibimiento fue dispar. Mi tía efusivamente cariñosa intentaba, con gestos y contactos, figurar una relación frecuente, de parientes íntimos. Contrario a ello su hermano (unos diez años menor y a mi ver, lo mismo alejado en edad de la última de sus hermanas, mi madre) mostró una mirada quieta sembrada en un gesto interrogante y preguntó por mi nombre, aunque —estoy seguro— él lo sabía de antemano; detrás se asomaron los sirvientes, hombre y mujer uniformados con sastres de madrás, saludaron y retomaron sus trabajos introduciendo a la casa mi equipaje.
El verano no finalizaba, a pesar de que marzo lo había hecho hacía un par de semanas, tiempo normal en que el otoño, fresco, vestido de grises y

amarillos, es una crisálida robusta que ha hecho olvidar su pasado estival adoptando la figura del frío invierno.

La calle entró a mi casa... estaba furiosa. Reconocí sus gritos y desperté en una madrugada tibia; me cogió y llevó con ella fuera, para cubrir su ausencia.

—Era en serio— le dije.

Empezó a llorar. Dudé, mi severidad me hizo ver tosco, la consolé. Otra vez manipulado por llantos frecuentes y prolongados desde hacía algunas semanas: un ardid de resultados, pasar de villana culpable a inocente víctima; debo afirmar que fue la primera vez que pude notar esa transición. Abandoné un escrito a medio hacer, y fui donde ella quería... Me había extrañado.

—...ya tomé la decisión de dejarte al alcance de los otros, no quiero ser acaparador— hablé con voz tierna.

—¡Son celos!— reclamó ella.
Observaste a otros, a muchos creyéndose mis dueños, pero a ti, al que le gusta escapar de los horarios, a ese que cambia de clima en cuanto le apetece, fue

siempre al único que sentí. No niego, haber mirado, que me he ondulado ante un cumplido, pero mi amor de tiempo infinito es sólo para ti.

—Te creo— le dije conmovido.
Sin embargo debes recordar todo lo que mi franqueza siempre ha expresado, lo que conversé contigo y a menudo repito: somos diferentes.

—Lógico— expresó más calmada —yo soy La, y tú, eres El.—

Permanecía serio tratando de ocultar mi terror ante su insistencia, pero no pude, tuve que recordarlo todo.

Si no te he visto, si soy un ermitaño de viso temeroso es por ti. Ahora mismo estoy temblando mientras recuerdo la última vez que te vi: habías hecho una fiesta de ti, todos te tenían y yo no me inmuté, lo tomaste a mal, supusiste, maquinaste; yo andaba contigo ya sin tratar de conocerte más. Avancé tomando distancia de los otros y tu me seguías, mi indiferencia te alteró; pusiste esquinas en mi camino guiándome sin yo percatarme, las veredas me arrinconaban, fuiste anzolando mi rumbo con estructuras que mi recuerdo conocía, atrapando el discurrir de mis pasos. Y aparecí en aquel acantilado, mirando debajo mío el abismo que tenía como fondo el mar oscuro y violento, muy pronto estuve asustado y me quise ir, pero al retroceder mi huida debió ser cuesta arriba, el concreto se había formado en un tobogán que guiaba directo a la rompiente cientos de metros abajo. El poder de mis anhelos de joven logró sortear el obstáculo, supe que no debía intentar retorno, pues los caminos estarían trucados.

—¿Cuándo fue aquello?— preguntó tratando de disimular lo evidente.

—Ya no es importante...— respondí volviendo en mí —...ahora quiero dejarte...—
Tiempo ya que lo deseo, pensé que lo había logrado sin embargo apareces reclamando mi amor. El terror a que te quiebres delante de mí, a tu temblar descontrolado que agrieta las cortezas mas duras me frena a decirte mucho de lo que ahora siento y pienso, por ello sólo te hago escuchar: no te quiero.

Nada ocurrió, todo estuvo quieto, el día nacía muerto y ella pareció dormir solitariamente. Aproveché el instante y regresé por mis cosas para emprender la fuga. Llegué a la totalidad del campo percatándome de la mentira, reconociendo ante mi soledad que todavía la amaba con locura, que la deseaba inconmensurablemente. En las noches sobre el pasto cariñoso excitado la recordaba: pensaba en sus curvas que tocaban mi cabeza penetrando en mi mente deleitada, en sus ojos infinitos que vigilaban mis ir y venir, en sus fuentes humedeciendo mi cuerpo. Girando, inculcándome a la tierra, simulé estar en ella; la vi desvistiéndose de su ropaje concreto, quedando desnuda, insustancial, y moldeado a ella fui enorme. Reconocí su poder, acepté que era mi dueña, además comprendí que ella también estaba recordándome, pero circunscrita en sí misma jamás podría venir a buscarme. Luego de un tiempo, el adecuado para que ella hubiese recapacitado sobre nuestra relación, decidí visitarla —llevaba un ramo de rosas y un poema para tratar de conquistarla en caso de que ya tuviera un nuevo amante—. Sólo encontré escombros, fragmentos de ella. Hubiese desesperado hasta el punto de quitarme la vida, sin embargo vi mi casa aún en pie, rajada más sin haber perdido su forma. Dentro de esas paredes estaba su voz agazapada, y al sentirme se disculpó, no mostró vanidad ni rencor, la perdoné con sinceridad.

Luna de Piscis

A Laura Lorena

Marzo, sobre
trípode
de palmas.
Emerge húmeda:
la cresta, su redondez,
el sustento.
Llanto quebrando la atmósfera,
lúmenes perforando mi cuerpo,
carne engendrada,
muda mi saber
hacia otra dimensión;
millones de veces
transportado
en un recuerdo
que necesito volver a dibujar.

Su grito cesa…
Clara totalmente
y la veo,
me veo;
está hecha de mí,
yo antes que ella
o ella antes y ahora regresa.
Atracción superlativa;
su cercanía
hala más
que mil soles siameses,
que los astros
apilados
en único cesto.
Reposa en mi vigilia,
tranquila superficie
a través del cordón,
hebra lumínica curva
que ha vertido
sobre mí.
¡Onírica visión
de un porvenir, que
me empuja!

Crece hacia todos lados,
fracción del mundo
acoge
su reptar y el grito
de las sombras castigadas.
Truenos guturales,
nubes húmedas: labios.
La palabra reclama lo suyo,
advierte: ¡No existe soledad
te tengo!
Erguida, me sujeta
a su confianza,
le trazo un camino hacia el mar;
en una orilla azul yo,
rojo sangre.
Un instante en mis brazos
la gravedad se detiene,
el tiempo
indiferente
al espacio sólo mío...
Se suelta,
perdona mi egoísmo,
sigue.

Plena
en su cauce invisible
se extiende al rocío, prisma...
holograma sobrenatural:
Cósmicos cabellos
en trenzas,
cogidos al final
por lentejuelas,
pequeñas piedras
encendidas
sobre negro espejo
reflejadas
¿una, que aparenta
ser cien
por timidez?
Dante inmensa de brillo,
trotante,
imposible darle alcance,
cifras largas,
repetidas,
nos separan (faces derretidas,
reverter de grietas
sobre el barro vigoroso).

Fuerza centrípeta
se moviliza,
la pone de canto;
cometas temerarios
orbitando
el dócil intramundo
en mi mundo.
Las aguas urgen,
se dilatan
fuentes hacia el cielo;
asesinada intimidad.
Espumas: rabia, temor...
Precoz
novia del Sol
se deja caer,
desgarra su aposento;
seda oscura ondula,
arde...
Solución que diluye genes
tallados en pupilas,
plegarias por los frescos
en su gris superficie,
mía.

El mar luz
yo un plano claroscuro,
ella oquedad
colmando su futuro
—noción,
emanación creadora,
furiosa poción—.
Oscuro lecho vacío…
Osa mayor, menor,
huérfanas muñecas,
desesperadas
muecas mudas.
Reverbero constelar:
trenes tirados
por ánimas robustas.
Amor,
resplandor inmanente,
esperanzado giro cósmico;
tranquilo silencio,
duda…
Sueño irrealizado
se incorpora,
opaca la conciencia...

La marea trae la llaga,
entrada secreta.
Centauro,
torso enterrado,
sobre caballo de arena
brinca la onda; húmedo
abismo ahí,
sexuado corazón
respira.
Secreto que se presenta
y explica:
luz de cueva,
tímida aparición,
ahora
avasallante sirena.

Miguel del Campo

A Enrique y Thesalia, los herederos de Miguel.

He apresurado la inscripción de mis derechos de autor y la publicación de "Enjambre sutil" está prevista para dentro de pocas semanas. El editor mostrando sensibilidad hacia mi literatura, ha motivado un adicional y último cuento, el cual entregaré sobre la marcha, convirtiendo mi primer escrito literario en un compendio de siete fantásticos relatos. Ya se dispuso el espacio adecuado: una docena de páginas; no me encuentro convencido de que sean tantas —o tan pocas— mas intentaré no dificultar el trabajo de los diagramadores, ni fastidiar en lo más mínimo al dueño de una casa editorial esforzado en complacer mis pretensiones.

¿Cuánto de aquella admiración y respeto que proyecta hacia mí permanecerá en el experimentado librero si comprueba que abrigamos disímiles morales? Es seguro que rechace, al enterarse, lo que he logrado cometer, pues esta última historia es en realidad una confesión, que hago tanto a los que estuvieron cerca y me conocieron, como a todos aquellos que empiezan a saber de mí.

Miguel del Campo nació en Chorrillos, antiguo distrito costero en la ciudad de Lima. Su primer instante de vida lo encontró en un gran cuarto de techos altos, paredes celestes, y piso revestido con madera; desde su amplia ventana se veía un pedazo de cielo, el mar, algunas embarcaciones de pesca artesanal, y numerosos pelícanos en fila sobre un pequeño muelle de fierro y leño. Compartieron este importante momento con él, una partera, un pariente (es tan sólo una sospecha), y claro, su madre, joven, hermosa, y extremadamente blanca: un fragmento de la foto que correspondía a su pierna, lo pensé parte de las sábanas; esta confusión se suscitó el día cuando empecé a desarrollar su nacimiento, meses después, de haber armado su muerte. Sobre su infancia no indagué con ahínco, pues a pesar de que sin duda está conectada con que los hechos acontecieran de la manera en que los voy a relatar, muy pronto supe que Miguel llevó una niñez normal (diré lo mismo de su adolescencia, carente de eventos que resaltar). Al concluir la carrera de diseño industrial se vio en la dificultad de encontrar un empleo acorde con lo que había estudiado durante un lustro, ubicándose en la sección administrativa de una fábrica de juguetes como encargado de almacén (algo que fue recibido con descontento por su familia, debido a las esperanzas económicas puestas en él).

En su primer día de trabajo Del Campo conoció a Leonardo Vargas, el gerente de personal, con quien congenió rápidamente, de manera muy natural, tal vez por sus edades similares. Aquel recibimiento auspicioso por parte de uno de los superiores de la empresa, no ahuyentó del joven diseñador la idea de una efímera presencia en ABSAtoys. Luego de algunas semanas algo lo empujó a cambiar la visión de su futuro: en algunos de los productos infantiles que despachaba, advirtió un complejo proceso de creación. Se propuso, ejercer el diseño de juguetes, para lo cual no necesitaría descuidar sus labores, simples y del todo mecánicas. Libre de titubeos alcanzó sus bocetos a los directores, impactados con la facilidad del joven almacenero para captar las pautas de aquel negocio singular; las originales propuestas fueron tomadas en cuenta. Leonardo —quien ya se manifestaba como amigo— mencionó que su punto de vista durante la evaluación de los diseños definió

la aceptación. Sin incomodarse por el apoyo, Miguel se prometió mayor esfuerzo para lograr confianza en la totalidad de sus jefes.
Llevados a fase de producción los inventos de Miguel suscitaron gran demanda en las tiendas especializadas, y que pronto fuese muy apreciado dentro de la fábrica (todos supieron que las bien remuneradas horas extras se debían a su talento). Se desestimó la simpleza de adaptar los juguetes venidos del extranjero y se creó la Gerencia de Creatividad; no hubo tiempo para una promesa, Miguel del Campo fue una realidad con tan sólo veintiséis años. La dimensión de sus logros laborales, le facilitó éxitos en lo personal. El señor Del Campo, asistió a su matrimonio premiado además con la gestación de un niño en el vientre de la mujer que amaba, ambos, lo acompañaron a una nueva casa que imitaba la de su niñez frente al océano, esta vez en el hermoso barrio de Barranco. El nacimiento de su primogénito (luego vendría una niña) imprimió un estímulo extraordinario a su creatividad; la interacción con su hijo, le permitió diseñar juguetes de vanguardia. De esta manera Miguel se convertía en un emblema de la ABSA, y en el orgullo para toda su familia. Era inimaginable que toda proyección de mayores éxitos se pudiese desvanecer cuando, poco antes de cumplir los treintaitrés, el increíble inventor

ción en caso que no estuviese convencido de l[illegible]
tenerlo conmigo —situación sólo factible, an[illegible]
de un mes luego de la compra—. Pregunté [illegible]
algún pago fraccionado —únicamente, median[illegible]
crédito que otorgan los bancos—; se retiró, c[illegible]
venta realizada.

Aquel fin de semana mi hija vino a casa [illegible]
con su madre), y mientras yo finalizaba a[illegible]
cosas del trabajo ella había cogido lo que p[illegible]
regalo (¿tenía acaso, otro destinatario?) y [illegible]
do la labor de armar el rompecabezas. Inco[illegible]
por el caro obsequio abierto, intenté desan[illegible]
saltando lo sencillo que sería para ella co[illegible]
pero me pidió que lo terminara pues [illegible]
el avance se había estancado. Vi en lo ar[illegible]
empezaba a representarse la figura de un impo[illegible]
nente jaguar, o como yo lo llamo, un otorongo,
parado sobre un árbol amazónico. Tomando la
posta en la tarea me percaté de las primeras
particularidades del juguete: algunas piezas se
presentaban como imposibles para armar aquella
figura propuesta, descartándolas por completo,
(pensé haber encontrado la misma falla que los
compradores anteriores) sin embargo a medida que
los espacios vacíos disminuían, encajaban perfectamente, al punto que se perdían de la vista
los finos límites que bordean las fichas de los

fue encontrado sin vida (aquella noc[illegible]
se convirtió en la única vez que pude [illegible]
cesidad de fotografías intermediarias q[illegible]
—aunque intentara lo contrario— lograron p[illegible]
mis gestos).

Los viernes en "Habla", se entregaban los e[illegible]
para la edición de los lunes, sin embargo era[illegible]
do y me encontraba en la redacción terminand[illegible]
nota, la central en el número de aquella semana: [illegible]
cados a luchar contra una dictadura nefasta, lo[illegible]
una entrevista con el Observador enviado por [illegible]
Organización de Estados Americanos para vigila[illegible]
unas elecciones que buscaban la perpetuación de[illegible]
régimen totalitario; con mis preguntas puse en evidencia la inoperancia (y las alegorías) de aquel
embajador. Un chofer esperaba mi trabajo para lle-
varlo a la imprenta, al concluirlo, uno de los fotó-
grafos del semanario me pidió que lo acompañe como reportero a tomar nota sobre un accidente; no
veía policiales, acepté, pues no se encontraba nadie
más. El conductor nos acercó hasta donde lo permitió su premura, y luego caminando llegamos al lugar: la salida del túnel de La Herradura; no encontramos accidente alguno, sí un asesinato: el cuerpo se hallaba boca arriba, un hombre joven como
de treinta años, muerto con arma blanca; al corte
normal que un homicida abre en el pecho de su

[illegible] nsal[illegible]
[illegible] e si[illegible] [illegible]ciso; los dos po[illegible]
[illegible] el cada[illegible]er negaron haber hallado docu-
[m]entos de identidad. Esos fueron los apuntes
que alcancé al fotógrafo. Un par de imágenes a-
compañadas por el breve texto, “crimen a un desconocido” fue lo noticiado por nuestra revista.
Cuatro años más tarde, Laura Lorena —mi hija—
terminaba el último año de la escuela inicial, en
donde me alcanzaron un catálogo de juguetes re-
comendados para niños en edad escolar. El inminen-
te ingreso al colegio ameritaba un buen regalo, y
la lista me proporcionaba una gama con excelen-
tes posibilidades para elegirlo. Llamó mi atención
uno resaltado: “Juego de la próxima década”: El
rompecabezas de doscientas piezas, tan costoso como los modernos juegos de video o las casas de
las muñecas famosas, entre los que se debatía mi
decisión. Lo prolijo del anuncio me obligó a descartar un error de impresión en el precio sugerido, pedí mayor información a la distribuidora, y
pronto un vendedor me visitó. Aquel diligente (y
del todo leal) hombre, me informó que tres o cuatro personas ya habían adquirido el juguete, aña-
diendo, que todas lo devolvieron por encontrarlo
fallado; me aseguraba una posibilidad de devolu-

rompecabezas comunes, creando una foto lisa, sin fracciones perceptibles. Decidí abrir (con cierta duda, pues no supe por el vendedor si ello cancelaba mi potestad de regresar el juguete) la pequeña bolsa con las instrucciones: “Utiliza estas doscientas piezas para completar cualquiera de las cinco imágenes posibles de tu rompecabezas ABSA”. Terminé de armarlo incrédulamente, (quedé fascinado por la belleza de la fotografía) luego lo empaqué como sin haberlo usado (no me interesaba regalarle a mi hija lo que en la práctica serían cinco rompecabezas de docientas fichas, y menos aún a tal costo); mientras cerraba la caja dije para ambos —lo voy a cambiar por otro regalo, éste, está defectuoso—.

Acudiendo a mi llamado el amable vendedor regresó e hice efectiva la devolución. En mis disculpas se advertía una duda, por lo que junto con el cheque que cubría lo pagado me entregó un extenso folleto de propaganda. Me informé sobre los nuevos rompecabezas, con más piezas y divididos por temas. Podría lograr figuras de la naturaleza, los deportes, historia universal, o de cualquier otra materia; elegir el de alguna subdivisión: las aves, el fútbol, las guerras del imperio romano... o intentar una ramificación de éstos: las rapaces, el campeonato

de México setenta, las batallas contra Aníbal... Haciéndose más puntuales incrementaban su valor (recuerdo la página del catálogo que presentaba el costoso: "Momentos de caza del halcón negro").
Me sentí tentado al instante, mas la incapacidad de recurrir a un período de prueba (no necesitaba consultarlo), me obligó a calcular el dinero con el que podría contar (con el que no contaba) y encargué uno general: Historia Universal, con mil piezas y veinte posibles imágenes para desarrollar; me fue enviado de inmediato (sentí angustia por la irresponsabilidad cometida para obtener un simple juguete). Junto con la garantía, se entregaba al comprador un compromiso de valorar el rompecabezas en cincuenta por ciento de lo pagado, si se utilizaba como parte del monto necesario para adquirir alguna subdivisión de éste, evaluando, claro está, su estado de conservación.
Empecé por el contorno como manda la técnica, cogiendo las piezas con un borde recto; separé —sin descartar— las que juzgué inapropiadas, agrupé las similares, y no me detuve hasta finalizar: frente a mis ojos, que atrapaban la totalidad de mi espíritu, la foto de Atahualpa[1]—el último de los Incas— en el momento de su muerte; el vestuario,

[1] Emperador del Imperio Incaico durante la invasión española al Perú. Asesinado por órdenes del conquistador Francisco Pizarro.

la locación, habían sido elegidos con rigor histórico, los actores representaban su papel con realismo, por lo que me fue imposible escapar de una envolvente sensación de veracidad que provocó en mí, aquel terror del testigo. Fotografié lo representado, y desarmé el rompecabezas para comenzar una nueva imagen.

Dos semanas demoró el siguiente, sus cuatro ángulos proponían al unísono representaciones diferentes; deshice varias veces lo empezado, hasta que atraído por una esquina oscura encendiéndose a medida que avanzaba hacia el centro, pude continuar y culminarlo: Una vista por detrás de las espaldas de cinco hombres primitivos, arrodillados frente a un intenso fuego, como tributándole adoración. A los minutos de observar con detenimiento la imagen, me sentí el sexto de los maravillados de cara al árbol que ardía (otra vez el productor de la escena logró una realidad que me acompaña por siempre). El cansancio me postró al lado de la obra, y dormí hasta ser despertado por un vaso de agua derramado que mojó mis ropas, y también el juguete. Al darme cuenta de lo sucedido, sequé el rompecabezas, mientras decidía cambiarlo por otro de mayor dificultad (aquella humedad podría acelerar su desgaste).

La mitad de lo que había pagado era tan sólo

un tercio del costo que necesité cubrir por el siguiente: Historia del periodismo gráfico, milquinientas fichas y treinta imágenes posibles (supuse que este rompecabezas ya no podría enfrentarme a representaciones, pues las fotografías registrarían los hechos en el instante en que habían sucedido).

Vender una bicicleta de montaña y el televisor de mi sala de estar, fue la consecuencia, al procurar suministrarme esta nueva dosis para calmar el vicio que ya se había apoderado de mí. Intentando negar mi dependencia, abrí la caja dos meses después de haberla recibido (fue durante ese período que mi pareja mencionó un leve cambio en mi carácter). Esparcí las fichas sobre el piso y esperé un par de días adicionales para iniciar el juego, entonces una profunda preocupación sobre mi actuar me inundó, sentí vergüenza por tal debilidad: representaba, una calma exagerada; mi decisión fue armarlo y luego —otro síntoma de mi aguda enfermedad— deshacerme del juguete.

El perímetro se presentaba en su totalidad negro (dudé sobre que el puzzle estuviera impreso); la dificultad era extrema, casi todas las piezas eran oscuras. Esto no me desanimó, tampoco lo hicieron los gritos de mi mujer (volví a ser soltero —¡No podía llamarme, loco!—). Desbaraté aquel marco vacío y

empecé nuevamente, logré formar un claro pedazo de cielo que me alentó a continuar. Luego de un tiempo que no puedo precisar, la primera figura que obtuve con esta subdivisión estaba lista: el auto de carrera se desprendía del asfalto... muy cerca de su eje posterior un objeto pequeño reposaba sobre la pista... todo se esclarecía, los encargados del circuito habían descartado incuria mas entonces yo veía la evidencia, mientras revivía en mí una vieja tristeza; era la última curva del maravilloso piloto, Ayrton Senna. No duró armado sino minutos, (mi tolerancia —debo confesarlo— era ya la de un cuadro avanzado) de inmediato intenté el siguiente. Reaparecían los bordes oscuros (insistí en él, no había ya de qué dudar); se delineaba un contorno ovalado; cerca del ángulo inferior derecho, un zapato; en el área central un punto rojo... brazos en oposición, un rostro de ira, otro con terror... el cuchillo abandonando el pecho... Observé atónito la imagen, cada uno de los rostros, mi memoria no me traicionaba: el que sangraba era el hombre que vi muerto en la salida del túnel, el otro, ciertamente, el homicida; ahí la fotografía del asesinato al desconocido.
Intenté contactarme con aquel que se encargó del artículo, mas hacía tiempo vivía en algún lugar de España. Perdí valiosas semanas buscando en todo

archivo conocido el nombre del fotógrafo que hubiese podido lograr la toma; nadie sabía nada. Ya desoxidado, con mis facultades de periodista de investigación recobradas, inicié la indagación. Con la fecha del crimen hallé en la morgue los nombres de los cadáveres llegados aquel día; dos, que habían sido trasladados al sitio de las necropsias desde un mismo nosocomio: al Hospital de Urgencias, llevaron uno que falleció horas después, el otro, llegó muerto: José Miguel del Campo Linares, treintaidos años; su cuerpo fue reconocido por Verónica Aste Galindo, quien dijo ser la esposa. Ubicarla fue sencillo, mantenía su dirección. Me presenté —riesgosamente— como un compañero de colegio que organizaba una cena de exalumnos, me informó (creyó hacerlo) de su viudez (dijo —curiosamente— ser huérfana de padre desde niña). En la conversación obtuve información de los estudios universitarios de su esposo, y del que fue el único centro de trabajo para Miguel, hacia donde dirigí la pesquisa. Ubiqué la fábrica de juguetes, llegué tarde, habían cerrado, por suerte, alcancé a un hombre que salía cuando el alumbrado público hacía su aparición. Le mostré, con cierto recelo, las fotografías de los rostros... a Miguel no lo conocía, al otro sí: —...éste, es el dueño— exclamó. Le di las gracias casi de espaldas, apurando el quite, no deseaba que me

recuerde con facilidad. El paso siguiente sería, entrevistarme con el asesino.
Escribí a ABSAtoys ofreciendo alguna sugerencia relevante para los rompecabezas; la respuesta fue rápida: una cita con el mandamás de la empresa. No pude elaborar una estrategia, lo dejé todo a la improvisación. Llegué puntual, él mismo abrió su oficina para recibirme, se encontraba lleno de dudas sobre el juguete, remarcó que yo era el único que había permanecido con alguno de los puzzles, y deseaba ideas para desarrollarlos con el fin de obtener una mejora en las ventas (todo era muy extraño, confuso para mí, mas evité filtrar alguna inquietud que no fuera la de un cliente). Prometí regresar, mostró su agrado. Planifiqué la nueva visita para acercarlo a mí y obtener los datos que necesitaba. Durante la nueva plática propuse diferentes temas por los que no mostró gran interés, fue sólo cuando me atreví a declarar una desmedida atracción por nuestros pares del sexo opuesto, que me procuró su atención. Exalté mis dotes de conquistador y la conversación se tornó amical; él habló del vino y de los viajes, yo del cine y la música. Estos gustos compartidos necesitaban de un tiempo mayor, así que acordamos vernos fuera de los ambientes de la fábrica.
Lo recogí de su casa, en mi auto descorché una botella de buen tinto y brindamos con vasos de mesa

a la manera de los jóvenes, dueños del mundo y del tiempo. Se fue soltando de forma acelerada, recorrimos mis lugares predilectos donde reinaba la bohemia. Se encontraba encantado, bebía sin freno justificándose con una herencia de su madre alcohólica; antes de que la embriaguez le prohibiese evaluar la situación acerqué a nuestro lado a dos hermosas mujeres. Lo noté extasiado, más inseguro, sin poder manejar el momento (durante algún pasaje de la noche lo sentí descortés). Le había mostrado suficiente, lo llevé a su casa; durante el trayecto él me exigía la máxima velocidad del auto; yo regresaría a la diversión y al día siguiente le contaría. Mis cálculos ordenaban esperar su llamada; el teléfono móvil timbró, cuando me servían un cebiche de conchas negras, reponedor... —¡qué envidia!— dijo riendo.

Le di un tiempo sin comunicación, un periodo para que necesitase repetir aquella desmesurada alegría (aduje una visita familiar) y luego lo llamé; la idea de llevar un par de amigas a su departamento la recibió con entusiasmo: que noche magnífica, el placer por instantes fue, aleccionador. Al día siguiente él propuso, los deliciosos frutos del mar. La información obtenida, me permitía el diseño de un actuar que develara la verdad: sus modales eran poco refinados hablaba con facilidad de sus cosas íntimas a pesar del poco tiempo y la manera de habernos conocido; bajo los efectos del licor se mostraba temerario, como el que puede salir ileso de cualquier error; lo que le gustaba en otro inmediatamente lo adoptaba como suyo.

Una tarde en que alardeábamos de una feliz borrachera mencioné a Miguel del Campo... —ese fue bodeguero de mi empresa...— exclamó sin cambiar sus rasgos alegres; callé, lo dejé continuar. —...¡Arribista! Se metió a competir con quién no debía... Como era un verdadero muerto de hambre, apareció pelado a cuchillazos— soltó sus carcajadas. Entonces concebí el motivo, se había sentido opacado, el éxito de Miguel generó en él una fuerte envidia, y por eso lo mató, mas el acabar con la vida del inventor no suponía desaparecer el recuerdo de su talento, así que el asesino cometió más: al revisar las cajas de los juguetes confirmé el hurto que le permitió la fortuna con la que se hizo dueño de la empresa; aquel que ni siquiera los entendía, aparecía como el pensador de aquellos estupendos inventos: el señor, Leonardo Vargas. Sería imposible obtener una prueba contundente, algo más allá de lo que podría juzgarse de montaje. Debí actuar con rapidez, su confianza en mí estaba en el máximo nivel, pero muy pronto aquello podría cambiar. Le propuse trabajar en su empresa; en uno de los lugares que solíamos visitar puse mi contrato sobre la mesa... Preguntó por la fecha anterior... —la del día en que nos conocimos— respondí; lo tomó como un acto fraternal, no leyó más y firmó. Tenía en mis manos el documento que buscaba: Leonardo cedía sus derechos de autor a los hijos de Miguel. Mi labor había llegado a su fin, sin embargo, acepté dirigirnos a la playa en busca de damas por alguno de los bares frente al mar; había prostitutas, bebimos sin compañía. Recuerdo su mirada reflexiva sobre mí, en cada uno de sus brindis se le notaba dubitante; Vargas presentía mis engaños. Caminé sin despedirme hacia el otro lado de la pista tratando de alcanzar mi auto, él me siguió... llegamos juntos a la acera que bordea la playa... Enfrente del asesino yo también fui temerario: le dije lo que sabía... no le importó, se burló... Revelé el verdadero tenor de lo que le había hecho firmar, dijo que lo negaría... su cinismo me encolerizó... lo empujé, haciéndolo caer sobre la arena detrás del muro del malecón... Yo me alejaba... Leonardo vociferó insultos contra la familia de Miguel... Regresé hacia donde estaba tratando de incorporarse y lo golpeé, pateándolo, una y otra vez sin fijarme donde... se oían huesos fracturándose, sus gemidos también... su cráneo golpeó el con-

creto... lo dejé y huí... Al día siguiente, supe de su muerte.
¿Cómo no sentir que mis planes habían sucumbido al fracaso? ¿Cómo no pensar en ese giro que me había convertido en prófugo de mi propia justicia? ¿Cómo escapar al horror de imaginar a otro terminando la foto de mi acto? Tal vez en ese de dos mil piezas "Crímenes resueltos", a donde seguramente envié el de Miguel, luego de que alguien —yo— supiese la verdad. He dejado de ser el mismo, evito el saludo de la gente, no quiero ser conocido —¡reconocido!— mi soledad es insoportable, he recurrido a la compañía de viejos rompecabezas, ya no de aquellos mágicos, sino de los simples que rehago una y otra vez, placebos que no logran tranquilizarme ni aplacar mis insomnios. Me es imposible desvanecer mis deseos de traspasar algún escaparate donde se exhibe mi droga, cierta juguetería del todo ilusoria pues hace mucho no visito los lugares concurridos; este esfuerzo sobre humano que acometo segundo a segundo, el de evitar todo contacto con las imágenes del ayer, es sin duda el que ha llevado a mis sentidos a buscar lo opuesto, al futuro que me participan, ya no con visiones que me embelesan, sino con ruidos que me angustian. No sé si debo confesar el trastorno en mi percepción, declarar la insania que me atormenta, justo ahora que

mis situaciones paranoicas se conjugan con algunas ralas, mas devastadoras, rachas de lucidez, por ellas sé, que el viaje planeado por mi madre para reunirnos en Italia, pretextando una inverosímil traducción de mis escritos (la mueven habladurías sobre mí que algunos se han encargado de divulgar) será el final (imagino las profundidades del Atlántico): Una noche me despertó la detonación de una bala... intenté confirmación con el portero de mi edificio... no sintió mis llamados por el intercomunicador, dormía en la recepción. Tres semanas después yo regresaba de comer algo fuera (de noche como siempre) y encontré serenos y policías en la entrada: el inquilino del piso siete se había suicidado de un disparo en la boca; la doméstica que trabajaba para él lo halló muerto, al igual que todos en el edificio ella tampoco escuchó ruido alguno. Una madrugada en la azotea, cuando la lluvia de verano disimulaba las lágrimas sobre mi rostro, sentí el crujir de fierros y fuertes gritos de dolor. A los días, dos albañiles caían con un andamio en un edificio contiguo; ninguno de los obreros que rescataron los cuerpos inertes de entre los metales torcidos sintió la bulla. Hace ya algunas tardes saliendo de la ducha quedé petrificado... detrás de la cortina de baño emanó una voz: dijo ser, Miguel del Campo, agradecía mi esfuerzo, y con palabras implacablemente nítidas, me daba la bienvenida.

Índice

editorial@lapulpa.com

Con el auspicio de: